아무것도 먹지 않기로 했다

전 全

성 晟

우 玗

2000년 12월 언양에서 태어나 선문대 국어국문학과에 입학했다

최근에는 남김없이 사랑했다

아, 영원한 시를 남겨주세요

사랑도, 절망도,
먹어주세요

그대가 숨겨둔 시를 보여주세요

불멸의 사랑을 적어줄
나의 하얀 백지를 남겨요

# 아무것도 먹지 않기로 했다

전성우

차
례

# 제 1부 | 양들은 어디선가 울고 있어요

# 제 2부 ㅣ 걱정은 숨겨둬야 하던가요

# 제 3부 | 지구가 남겨놓은 글을 읽고

## 제 4 부 | 난 익숙한 듯 걸을래요

# 제 1부

양들은 어디선가 울고 있어요

# 봄

아스라이 멀어지는 계절에 너를 사랑했다

벚꽃잎이 쏟아지는 실템에 멈칫거려가며
피어나는 치열한 움직임 속에 손을 뻗었던

순간

너의 헐떡이던 심장
메아리가 들려왔다

한걸음 뒤에 있던 봄바람이 고스란히 네 얼굴에
담긴 채

나를 사랑한다는 네 얼굴이 뒤엉키는
바람과

함께

내 주머니에는 네 손이 담겨서

너를, 사랑했다

# 소년

그대가 날 죽도록 사랑해 준다 말하면
난 영원히 소년으로 남겠지

# 갈증

목마름으로 나를 태웠지만
채워지는 게 갈증이었잖아

잊어도 못 잊겠다

# 있잖아

이제는 남길 수 있을 것 같아서
헝클어진 바람을 따라 걸었어

한강 위에 놓고 온 숨소리를
다시 찾아 들고 싶었으니까

사실 별거 없었어

너는 구름이야 하며 새겼었던 하늘도
오늘 날씨는 흐림이야 하며

목마름으로 나를 태웠지만
채워지는 건 갈증이었잖아

있잖아, 오늘은 어디까지 걸어야 하는 걸까
있잖아, 오늘 울었으면 내일도 울어야 하는 걸까

남겨지는 건 많았는데
뭘 남겨야 하는 건지

그림 위에 그림은 낙서일까

# 장마

물이 나를 잡아먹는다
물이 나를 잡아서 먹는다
비가 나를 잡아먹는다
비가 나를 잡아서 먹는다
빨대가 나를 빨아들이기 시작했다
아무 말 없이 일주일을 지냈다

# 버릇

사람이 아프다는 말을 들었을 때
전부였다는 말을 들었을 때
너의 미안하다는 말을 들었을 때

조용해진 말들이 모두 거짓말이 된 것 같았어

너의 새하얀 눈동자가 검은 나를 잡아먹는 버릇

이제는 아픈 사람이 둘이나 됐다

# 한강

혼자 괜히 주변을 서성이다 돌아서는 게 반복이
었지 괜찮아 혼자 잊는 게 너를 잊어버릴 유일한
방법이었으니까 일만한 책들을 꺼내 읽어도 예전
보다 더 어려워졌어 점점 멀어지는 그림자가 나
를 떠나갈 것 같아도 여분의 손가락이 남아 나를
잡아줬으면 남은 건 어렵지만 쉬운 건 남은 거잖
아 수심이 깊어지기 전에 한, 강을 떠나야지

# 날씨

헝클어지는 머리는 바람도
헝클어져서 그런 걸까

한강 위에 놓고 온 너의, 구름을
하며, 고개 올려봤었던 하늘인데
오늘 날씨는 흐림 이래

있잖아, 우산은 챙겼는데 펼칠 일이 없었잖아

있잖아, 너의 장마는 끝나질 않아서,
나의 장마는 시작도 안 했어

있잖아, 너의 모든 걱정이 갈증이 돼서
이제는 아무것도 먹지 않기로 했어

내일도 비가 온다는데
이제는 필요 없다는 나의 말 같은거
별거 없었으면 해서

# 아무것도 먹지 않기로 했다

비가 그치고 나면 눅눅해진 이불을 빨아야지
했었는데
입버릇처럼 상관없잖아, 같은 말들을 뱉어서
나에게 미안해졌잖아

최근에는 남김없이 사랑했다
그럼에도 남김없이 남았던 거야

집 밖을 나서면 그리워하지 않아서
집 안을 그리워하는 것 같아

그러든지 말든지

한층 올라가는 계단 위에 남아서
내려가는 나의 발자취만 구경해

실제로는 이런 버릇들이 없었잖아

물이 나를 잡아서 먹는다
같은 망상들이 나도 이제 어려워

그림 위에 낙서는 그림일까
살며시 내가 나에게 묻지만

뜨거운 태양 아래 메말라가는 빗물들만 남아있어

어쩌면 모두가 버려대는 건데
거리 위에는 왜 담배꽁초만 쌓여 있는 걸까

모두 버릴 데가 없어서 모아두는 거겠지

아무렴 상관없다니까,
아무것도 먹지 않기로 했으니까

# 변명 1

우리는 별것도 없었잖아

사실, 그래서 그랬어 같은,
변명만 했잖아

아무런 조건도 없이 버려지는 것들이
모두 다 내 이야기 같아서

걷기 같은 일을 반복해야 하는 습관처럼
잠수 대교를 걷다 보면 갈증은 커져가고
애증이 작아지는 착각도 생겼어

섬안에 갇힌 말 한마디가
더 이상 커지지 않아서

울타리 안에 갇힌 채
미안한 감정도 없이
똑같은 하루를 지구에게 떠 맡기기

날씨는 이렇다 저렇다
팔월은 더워서 비가 와서

이제는 평소에도 우산을 챙겨야 하는
변덕쟁이가 됐잖아

그랬어, 사실은

너와 같은 변명만 늘어놔서
반나절은 너와 같은 생각으로 보냈다고

# 변명 2

채울 수 없는 우물에는
버릴 수도 없는 물이 있다는 것이다

깊은 바다에서부터 올라온 모래는
결국 파도에 밀려 무너지는 모래성이 되니까

식탁 위에 올려둔
컵 안에 든 물이 미지근 해졌다

어쩌면 컵이 미지근 해진 걸까

물을 마실 공간이 어려워져서
너에게 담아두기

이번 여름은 더울 거라는 뉴스가 나온다
차가웠던 여름이 있었나

팔월의 장마가 시작되기 전
헤어지자고 말한 너의 우스운 변명이
쓰다 남은 연필같이 짧았다

몇 번이고 쓸 것 같아서 다시 올려두고서
또 다시 써서 짧아질 변명처럼

낙타는 그렇게
우물을 달고 다니는 버릇이 생긴 것이다

수압이 약해진 빈속에는 아무것도 없어서
채울 수 없는 사랑과 헤픈 변명만 남아서

무거운 나의 우물은
마시지 못할 우울이 되고 말았다

# 헤어질 결심

조건은 말할 수 없었다

헤어져야 한다 말하면
너는 내게 무조건 사랑한다 말할 테니까

그래서 사랑한다고 말했다
너는 내게 무조건 사랑한다 말할 테니까

집 밖에는 개 한마리가 뛰어다녔다
제멋대로 나뒹구는 바람에 주인을 잃어버린 걸까

구석에는 길게 뻗은 플라타너스 가지가 휘청인다
계절이 식은 탓일까

순간, 뻣뻣해진 개의 눈과 마주쳤다

아이는 좀처럼 사랑한다는 말을 하지 않았는데
대신 그녀에게 사랑한다고 전해 달라는 말을
내게 속삭였다

길을 잃은 채 헤매던 아이는 지금 어디에 있을까
낯선 경험자들을 만나러 떠났을까

어쩌면 개들의 고향일지도 모를 제주도에서
너를 만난게 잊을 수 없게 됐다

헤어질 결심을 누가 한 것인지에 대해서

# 위로

마음이 텁텁해졌다는 말을 들었다
뭐든지 위로 받았는데
가끔은 아래로 받있는지
말들이 무거워져서 들어 줄 수 없었잖아

어렵다

나는 뭐든 줄 수 있었던 위로였는데

# 점심

늦은 점심을 고르는 일도
입맛에 붙은 철학 같던 점심을 떼는 일도
쉽지 않았던 거 알아

변명 같았던 말도, 사실 같지 않던 말들도

다그치던 장마가
이제 와서 아무것도 아닌 것처럼 굴면
비를 피하는 우산만 남아 있잖아

함께 한강을 걸었던 많은 사람 중에서
우리만 남아 있는 걸까

걸음이 무뎌져서 점점 느려지기만 하잖아
한참을 그렇게 걷다 보면

어느새 겨울이 찾아와서
여름의 장마가 얼어붙는 순간
결국 멀어지는 구름만 지켜본다는 거
이제는 알잖아, 별거도 없는 하루들이었다는 거

어차피 상처받는 건 우리의 주변이 아니었을까

싫어서

어쩌면 이게 다일 거라 생각했었는데
필요했을지도 몰라

아무거나 먹는 사람들의 끝도 없는 잔소리

애써 미안한 티를 내도
남은건 남이 되는 거 알잖아

이제는,

우리만 덩그러니 빗속에서
조그마한 꽃처럼 조금씩 흔들리기

늦은 점심을 고르는 건 어려웠던 게 아니야
단지 저녁이 되어가는 게 무서웠던 거야

이런 둘만의 습관들 하나같이
별것도 없었던 거잖아

어디로 향할지도 모르겠어
코끝에 남아도는 아스팔트가 젖은 향이

걸음마다 남았는데

너로 향하는 작은 지도 위는
다시 찾아 나서지 못할 길이라는 거

늦은 점심을 뒤로하고
멍하니 아직도 길 위에 서 있기도해

오늘 비가 온다는 말을 너에게 듣고 싶어서
혼자 저녁을 고르나봐

# 제 2부

걱정은 숨겨둬야 하던가요

# 구석

텅 비었다

아무 말 없이 지냈디

너에게 아무 말이나 해야 할 것 같았다

어렵고 복잡한 말들을 내뱉는 나였다

나만 지구가 복잡해졌다

바다의 끝에도 구석이 있을까

# 바다

너에게 말없이 보낸 편지였다

서랍안에서 갇혀지낼 너에게

고래의 울음소리를 적어보내기

파도에 부딪히면 꾸겨질 종이

남은 건 백사장의 발자국들

# 절망

그래도 사랑은 하고 싶은 게 절망이다

# 이별

이 별은 내 눈에만 보이면 좋겠다
이별은 너무 아프니까

# 문장

익숙해진 문장들이 싫다
제일 아픈 문장들만 남았다

# 바보

네 옆에 있는 날들을 사랑해
번거로운 눈 맞춤도
서로 다른 쪽의 손 맞춤도

오므린 주먹을 내게 펼쳐 보였던 날
이길 수 없었던 내가
이겼던 유일한 날이었어

이제는 가위만 내는 나를 바보라고 부르네

# 나는

아무것도 하지 않아서 더욱더 아팠던 말들을 하기로 했다 깊이 잠겼던 많은 기억이 들어서면 아무것도 할 수 없잖아 난 이토록 아플 수 있음에도 행복하게 남아있잖아 너는 내가 어떻게 되길 바라는 것처럼 나는 진짜 그렇게 되는 게 아닐까

# 팔월

장마가 끝나가
아쉬운 건 무지개를 보지 못했다는 거야

팔월이 말하길 곧 볼 수 있을 거라는데
구름이 뱉는 말들은 다 거짓말이었던 거야

고장 난 우산은
뜨거운 태양을 가리지 못한 채 서있잖아

숨을 쉬는 건 나의 아가미
신기루 위에서 헐떡이는 물고기

비가 와서 베란다 창문을 열어 두었는데
내게 남은 화분은 결국 없었구나

그렇게 쏟아 들었던 오후 한 시의 소나기

# 기억을 걷다

이른 아침은 빈집처럼 조용했어
정이 들었던 고양이들의 울음소리가
지금은 놀이터에 숨어들었지만 말이야

여전히 너의 얼굴은
끄덕여주는 희미한 동상 같아

네가 나에게 불어 넣었던 오렌지 사탕과 함께
펼쳐지는 가로수 사이로 걸어가는 낡은 이야기들

기억을 걷어간 이른 아침은 빈 집처럼 조용했어

# 여전히

세기말에 너와 나만 남는다면

멍하니 파도만 쳐다보겠죠

비가 몇 번은 더 와야 이 장마가 끝이 날까요

| 사 | 람 | 은 |
|---|---|---|
| 여 | 전 | 히 |
| 너 | 와 | 나 |
| 만 | . | . |

# 증명

너와 나만 남으면
내가 죽거나 네가 죽어서 없는 세상일 텐데
결국 왜 혼자가 되어야만 하는지

# 구의 지구

지구가 무너졌다
차라리 그렇게 믿고 싶었다

너와 나는 가까워서 멀어졌다

# 매운탕

테이블 위에 놓인 매운탕은 이미 식어있었다
초점 없는 생선 대가리만 쳐다봤다
하얗게 부어오른 눈알이 튀어나왔다
저렇게 거친 바다에서 잡혀왔다니
정말로 말없이 쳐다보기만 했다
차가워진 매운탕을 한참을 쳐다봤다
다시 데우기에는 너무 뜨거운 확인 사살이다

# 바다

바다는 울고 있는 파도의 꿈
지금은 나의 바다가 부서지고 있는 중

# 제 3부

지구가 남겨놓은 글을 읽고

# 하루

남은 하루는 널 지켜보다가 지나갔지
나는 속이 좁아터질 것 같아서
하루는 나를 좋아하냐고 물어보고 말았다

# 봄이에게

아픈 이야기를 했는데
모른 척 걷기만 하기

아무 말이라 늘어놓았던 것들이
생각보다 더 변명 같았다

혼자 괜히 사랑한다고 말하기
여전히 이해하지 못 할 봄이에게

# 어쩌면

우리는
눈앞에 있는 사람과 사랑에 빠지는 것보다
옆에 살며시 빠진 너를 디,
눈여겨봤을지도 모르겠습니다

# 나는

세상에 전부를 지우기는 어려워서
너와 나만 그리고 나머지는 사진으로 남겼습니다

# 너에게

마음에도 없는 말 사랑한다고 하기
만나면 곧바로 흩어질 그런 별거 없는 사람들
잔뜩 움츠러들어서 마음대로 사랑한다고 말하기

# 유독

구름이 저물지 않는 걸 알아

확실히 더운 여름이야

쏟아붙이는 별들의 유영 사이로

내게 추락하는 유성

여전히 오갈 데가 없어 보여서

# 익숙했다

비스듬한 세상에서 굴러 떨어지기 시작했다

1호선에서 쓴 가장 긴 문장이있나
익숙해질 만큼 충분했다

비슷한 세상에서 너도 잘 살아가겠지

# 결국

나는 너에게 유독 익숙했다

# 너는

적당히 모든 것들을 사랑했다
그렇게 남고 싶었던 게 아닌가 싶어서

싫어졌다는 말 한마디가 어려워져서
모두가 싫어졌다고 말하는 너는
모든 게 급해져서 그래

# 그래서

어쩔 수 없었다며 말한 핑계는 별것도 없다고

연락도 없이 며칠을 지냈다 감각들의 애증이
손가락 마디에 박혀서 굳은살이 되는 동안
버린다며 내놓은 현관 앞의 쓰레기가 나를
응시하기 시작했다

미안하다는 말을 전해 들을 것 같아서
농담 같은 어색한 웃음을 지어 보았다

그래서 사실,
그랬어

같은 말들만 떠올라서
무슨 답을 해야 할지 몰라서

바빴다 가 전부였다

무거워진 물 한 잔이 남아서 한참은 어색했다

# 소녀

미칠듯한 그리움이 솟아올라서
너를 찾아갔었던 그때의 오후

내 앞에 헝클어진 머리의 소녀가
내 삶의 오후가 되면 좋을 텐데

# 자화상

숱한 방황이었다
다시 돌아가기에는 늦어버린 걸까

슬픔은 버릴 게 없어도 말들은 버릴 게 있다고

저기요
침묵을 꺼내 드시면 마음이 가난해지잖아요

거울 속의 넌 숨을 참고 있었다

뒤돌아선 나를 안아주세요
결국은 사라질 나를 위해서요

# 시

나는 너무 모질게 살았나

시 한 편 쓰기가 어렵다

# 우울

잡혔다 이제 내가 술래다
너는 너무 꼭꼭 숨어 버렸나

## 제 4부

난 익숙한 듯 걸을래요

# 새벽

에 문득 생각이 났다
전화로 말해야 할 것 같은데
적어둔 글이 너무 유치했다
그래도 사랑한다고 말하고 싶었다
오래된 노트에 적힌 글이었다

너의 유일한 마침표가 되고 싶다

# 도망가자

지금도 누워 있을 너에게 조용히 속삭였다
우리가 사실은 말이야 죽고 싶은 게 아닐까
지금은 누워 있는 너에게 조용히 속삭였다
천둥이 치는 어두운 바다에서 우리 가라앉자
그마저 잡아 줄 수 있다면 나는
너에게
도망가자

# 사랑도 없다

아무래도 잊을 수 없을 것 같다
너를 잊게 된다면 난 지금까지 뭘 한 걸까

# 유서

할 말은 참 많은데
쓸 말은 별로 없다
잘 지내라
밥 잘 먹고
건강해라
당분간은
나를 찾지 마라
너에게 남은 게
더 중요하니까
가장 먼 곳에서 보고 있을 너에게

# 자동살반

시인이 내게
바다에 같이 가자고 말했다
어제는 내가 가자고 만혰었다
차가운 말이 오늘도 겉돌았다
나에게도 시인이 있었나 보다
시인이 내게
바다에 같이 가자고 말한다

# 세탁기

지구가 엉망진창으로 돌아간다
결국 거대한 파도가 들이닥쳐서
온 세상이 잠기고 말았다
끝내주는 영화였다

# 몽유병

밤중에 너를 그리다
주위를 둘러보는 것
그리고 잠에 드는 것
메울 데도 없는 악몽
웅덩이는 깊었는데
고양이는 야옹야옹
숨이 막힐 듯 말 듯

# 꿈

생각은 삶이 되는 걸까
우연히 내가 좋아하는 것들을 떠올리면
눈앞에 구름이 피어오르기 시작한다
얼음이 생각보다 차가웠었던 여름이
내게 문득 말을 걸었던 것이다
엔딩 크레디트에는 내 이름만 빠져서
찾아볼 수는 없었지만 영화관 안에는
눈사람으로 가득했었던 그런 크리스마스였다
이런 삶이 수심 15 미터쯤 있는 거라면
내 꿈은 현실보다 현실적이겠지
그런데


어릴 적의 너는 왜 이제는 내 옆에 없을까?

# 죽음

어쩐지
사람을 사랑하게 될 때까지는 너무 멀더라
그래도 오래 기다린 보람이 있었다

사랑해 …

희미한 음성 위에 쓰러지는 네가 너무나 미웠다
어쨌든 사랑했었나
너무 나 미워하지 말아라

# 아마도사랑같은건어려울거야

남는건남이되는거밖에없을거잖아

# 권유

내가 하루를 덜 살면 어떻게 안 될까

아니면 네가 하루를 덜 사랑해 수라

하루가 날 이렇게 사랑할 줄 몰랐어

# 끝없는 사랑은 결국 망상

아련한 눈빛이 뭐냐고 물어봤었던 네가 결국은
물에게 잡혀서 물이 되는 거 망상이 아니라 사실
이었잖아 어쩌면 내가 너에게 들었던 모든 이야
기가 더 아름다울 수 있었을 텐데 무거워지기만
했잖아 끝도 없는 이야기를 써 내려가는거 이제
는 너 때문에 시작됐다는 걸 이제는 왜 나만 아
는 걸까 끝나 버린 사랑에 대하여 감출 수 있다
면 언제까지 이렇게 남을 건지에 대해서 고민해
야 되는 걸까 어째서 끝없는 사랑은 결국 망상이
되어 버리는 걸까 다시는 일어서지 못할 의자 위
에 남아있는 건 여전히 나 말고 없어서 사랑은
결국 끝없는 망상

# 눈사람

특별한 사람으로 남고 싶었다

나보다 더 차가울 너에게
따뜻한 손길 한 번이라도 내어줄
그런 사람으로 남고 싶었다

겨울을 어쩌지도 못한 채
서있는 눈사람에게 말이다

결국 지나치는 게 지나치게 어려워졌다

영원히 남고 싶을 사람이 되고 싶었나

너는,

나에게

# 밀물

여전히 아무 말도 없었다

너에게 몇 번을 찾아가도 난 똑같나 보다

썰물이 되면 갯벌이 질척 거렸다

# 여름

뭉게구름이 편지를 보내도 읽지 않아서

여전히 낯 뜨거운 얼굴로 쳐다보고 있어서

낮에 있는 꽃들을 음미하지도 못한 채
새벽이 점점 짧아지기 시작해서

하고 싶은 말들이 참 많은데
여전히 뜨거운 너라서

새벽에 괜찮으면 우리 잠깐 걸을까

밤이 길어지기 전에 우리 음미하자
곧 꺼질 꽃들을

# 찌질이

그냥 잘 지내냐고 물어본 거야

잘 지내면 된 거 아니냐

왜 화를 내지

잘 지내

# 그냥

보통의 하루는 너를 떠올리다가
종이에는 채울 수 없다는 사실에
밖을 나가

늦은 새벽이 어루만져 주는 그림자는
내 손이 닿지 못하는 낯선 천장 위에서
어지러운 생각을 향해 간지럼을 태우지만
입에서는 여전히 민트향 치약이 남아서 텁텁해

책상 위에서는 왜 이렇게 멀리 떨어진 생각을
가져 오려고 애를 쓸까

걷다 보면 다가오는 집 앞에서
또 난 멀어져야 하는 걸 이미 알아

나는 왜 남겨진 것들에 대해서
이미 걱정해야만 하는지

알고는 있지만
종이에는 여전히 채울 수 없다는 사실에
밖을 나가

그냥 복잡한 동네로 이사 갈까

물에 잠
　　　기
　　　　는
　　　　　나
　　　　　　를

쳐다볼 수 있는 곳이면 좋겠다

# 반쪽 인간

나는 지키지 못했던 약속들에 대해서도
고민해 봐야 하는 나도 필요하겠죠

저 거대한 바다 앞에서 모래성을 쌓고 있는데
하얀 소금으로 쌓인 성벽은 왜 보이지 않을까요

파도가 들이치는 소리는 귀에서 맴돌기 바쁩니다
떠나야 한다면 만들다 만 성을 놓고 가야겠죠

금방 폐허가 되고 말겠지만
그래도 여전히 나는 고민해야 하는 거겠죠

떠올리지 못 할 약속을 잊은 채로
만남을 기약하는 약속을 해야 할지에 대해서요

어쩌면 나는 내 반쪽 인간에게
맡겨 두었을지도 모릅니다
아직 뽑히지 않은 사랑니에 관해서요

잃어버렸을 나의 너는 이빨이 하나가 없었구나
아, 사랑은 나만 하는 게 아니었구나

# 회상

네가 떠나면 난 이렇게 평생 사는 걸까

너 만나기 전에는 나는 어떻게 살았을까

난 잊혀져야만 하는 우리가 상상이 안돼

다른 동네에서 만나면 우리가 알아볼 수 있을까?

우리 살금 살금 걷자 희미해져야만 하는 기억을

그러다 보면 물고기는 어느새 잡혀있겠지

움찔대던 여름날의 기억을 우리 다시, 걷자

# 뜨거운 심장

요즘은 어떤 사람을 사랑해야 할지 고민입니다

내 심장이 만들어진 이후로
뜨거워진 적이 있냐는 질문에 답하기 위해서겠죠

하지만 나를 사랑한다는 건 어쩌면 지난 사랑에
대해서 용서받고 싶어 하는 것일 수도 있습니다

사랑해야 한다면
다른 누군가에게 다시 돌려준다는 것이니까요

나는 또 제자리로 돌아가기 두려운 것이겠죠

바람이 부는 쪽으로 고개를 돌리고 나면
나는 누가 쳐다봐줄까요

문득 이런 생각도 들었습니다
어떤 너를 사랑했길래
가만히 방안에만 있었을까요

누가 만들어 준 것도 아닌데
가만히 들고만 있었습니다

줄 수도 없는 내 심장을요

어느 곳에도 둘 곳이 없어서
나는 그대에게 고개를 돌렸나

너는 누가 만들어 주었길래 이리도
심장이
뜨겁나

너는, 어떤 너를 사랑했길래

# 해설

문한별

(해설 겸 추천사)

문한별(선문대 국어국문학과 교수)

올해 초, 문예창작반 동아리 신년회에서 수줍은 표정으로 자작 시집의 해설과 추천사를 써달라는 부탁을 그가 하였다. 두툼한 시 한 묶음. 하지만 흔쾌히 수락하고도 어느덧 반년 가까이 시간이 지나버렸다. 선생인 나와 같은 공간과 시간을 살아가는 젊은 학생이자 시인인 그의 눈에는 세상이 어떻게 읽히고 있을까. 내가 그의 시집을 받아들고 먼저 이해해야 하는 지점이었다.

전성우의 시를 읽으면 반복되는 심상들이 있다. 그것은 가라앉거나 빗겨가거나 기울어지는 것들이다. 세상은 기울어져있고, 시인의 마음은 누군가에게 닿지 못하고 빗겨나가며, 그 안에서 시인은 깊은 마음의 심연속으로 가라앉아간다. 어떤 날에는 묵연히 걷기만 하는데, 그 지향 없는 걸음에는 동반자가 없다. 아니 어쩌면 과거에는 있었을지도 모른다. 하지만 지금 이 시간, 그와 그녀 혹은 그녀와 그, 혹은 그들은, 더 이상 스치지도 조우하지도 못한다. 우울하고 쓸쓸하다. 시인은 「변명」에서 이렇게 말한다. 그 감정은 "채울 수 없는 우물" 같으며 채울 수 없다면 버릴 수도 없다고. 지독한 사랑이다. 치열하게 사랑을 해본 사람만이 말할 수 없는 영원한 숙제

같은 것이다. 그는 이 숙제를 풀기 위해 걷고,
사유하고, 쓴다.


채울 수 없는 우물에는
버릴 수도 없는 물이 있다는 것이다

깊은 바다에서부터 올라온 모래는
결국 파도에 밀려 무너지는 모래성이 되니까

... 중략 ...

몇 번이고 쓸 것 같아서 다시 올려두고서
또 다시 써서 짧아질 변명처럼

낙타는 그렇게
우물을 달고 다니는 버릇이 생긴 것이다

무거운 나의 우물은
마시지 못할 우울이 되고 말았다

- 시 「변명」에서 발췌

 20대의 사랑이라고 10대의 첫사랑과 본질이 다
를 리 없다. 아마도 시인이 겪을 30대의 사랑도,
그 이후의 사랑도 그럴 것이다. 그럼에도 시인은
자신의 현재 감정을 끊임없이 확인한다. 그것은
사랑을 희구하고 열망하는 것이라기보다 사랑의
부재를 잊지 않으려는 몸부림에 가깝다. 그렇기
에 그에게 있어서 사랑은 지독한 자기정체성의
확인 작업인 것이다.

우리는
눈앞에 있는 사람과 사랑에 빠지는 것보다
옆에 살며시 빠진 너를 더,
눈여겨봤을지도 모르겠습니다.

- 시 「어쩌면」 전문


누군가는 20대 젊은이의 관심이 어째 사랑밖에
없을 것이냐고 물을지 모른다. 하지만 전성우의
시는 유치한 사랑만을 이야기하는 것은 아니다.
그 사랑은 어떤 시에서는 정체성과 본질에 대해
서 묻거나 탐구하는 것이 되기도 하고, 어떤 작
품에서는 시간과 기억에 관한 근원적인 질문을
던지기도 하기 때문이다. 그래서 그의 시들이 가
진 무게는 결코 가볍지 않다.
 요즘처럼 사랑이라는 것이 인스타그램에 올라오
는 화려한 장소나 이벤트의 사진 몇 장,그리고
그 안에 담겨진 천편일률적인 물화된 표정으로
대신 되는 시대에, 전성우의 시는 그 본질에 대
해 자꾸 묻는다. 그리고 그 질문은 집요하며 철
학적이기까지 하다. 사랑의 본질을 깨닫는 것은
결국 사랑의 부재함에서만 가능한 것이 아니냐고.
당신들 역시 그런 사랑을 하고 있는 것은 아니냐
고 묻는 것이다.

비스듬한 세상에서 굴러 떨어지기 시작했다

1호선에서 쓴 가장 긴 문장이었다
익숙해질 만큼 충분했다

비슷한 세상에서 너도 잘 살아가겠지

－ 시 「익숙했다」 전문

　세상에서 굴러 떨어지는 것을 아는 존재는 자신
과 조우했던 강렬한 기억 속의 누군가 역시 같은
감정과 상황을 겪을 것이라고 전제한다. 하지만
그것은 "익숙해질 만큼 충분"한 것일 뿐, 결코
채워지지는 못하는 것이다. 그가 말한 "비슷한
세상" 속 존재는 결여를 애써 잊고 살아갈지도
모른다. 하지만 그것은 그에게 있어서 그것은
"익숙해"진 것일 뿐이며, 그렇게 "잘" 살아
가는 것은 결코 "사랑"의 본질이 아닌 것이 된
다.
　이 시집은 모두 사랑에 관한 시들만 담겨있다.
아니 정확하게 말하자면 부재한 사랑, 그리고 결
여된 사랑에 대해서만 다루고 있다. 시인에게 있
어서 '사랑'은 현재 나의 손에 잡히지 않는 그
무엇이거나 잃어버린, 혹은 잊혀져버린 그 무엇
이지만 그는 우직하게 그 질문을 독자들에게 던
진다. 그 질문들은 간혹 너무 심오해서 추상적인
것처럼 읽히기도 하고, 활자화 되는 과정에서 길
을 잃고 헤매기도 한다. 가끔은 소극적인 시적
화자의 태도에 답답함을 느끼게 되기도 하고, 또

가끔은 살짝 내비춰진 그의 심연을 보는 것 같아 시리고 쓸쓸하기도 하다.

 하지만 이 모든 질문들은 있는 그대로 시인의 정체성이 되어 시 한 편 한 편에 담겨져 우리들에게 되돌아온다. 이 사랑, 아니 나의 이 젊은 시절의 삶을 오롯이 이 시들로 기억하겠다고. 그리고 사랑과 그 대상이 부재한 시절, 나는 이렇게 끊임없이 그를 찾아 헤매었다고 말이다.

## |시인의 말|

어딘가에서 분명히 마주쳐야 할 나는
지금 어디에 있을까?
페르소나를 벗은 나를 마주하고 싶다.
우리는 굶주린 사람이어서 너를 사랑했었나.
그럼에도 결국은 아무것도 먹지 않기로 한 그대에게
이 시집을 바친다.

2023 년 12 월
전성우

## 아무것도 먹지 않기로 했다

**발 행** | 2024년 07 월 26 일
**저 자** | 전성우
**펴낸이** | 한건희
**펴낸곳** | 주식회사 부크크
**출판사등록** | 2014.07.15( 제2014-16호)
**주 소** | 서울특별시 금천구 가산디지털1로 119 SK트윈타워 A동 305호
**전 화** | 1670-8316
**이메일** | info@bookk.co.kr

ISBN | 979-11-410-9743-1

www.bookk.co.kr